Andrea Camilleri La Vucciria **Renato Guttuso**

Andrea Camilleri

La Vucciria

Renato Guttuso

con un saggio di Fabio Carapezza Guttuso

SKIRA

Editor
Eileen Romano

Progetto grafico
Marcello Francone

Coordinamento redazionale
Giovanna Rocchi

Redazione
Alice Spadacini

Impaginazione
Anna Cattaneo

In copertina
Renato Guttuso
La Vucciria (particolare), 1974
Olio su tela, cm 300 × 300
Palermo, Palazzo Steri

In quarta di copertina
Renato Guttuso nel 1970 circa
Foto Dabbrescia
Andrea Camilleri, 2007
Alberto Cristofari, Contrasto

Pagine 4-5
Elaborazione fotografica con un ritratto
di Andrea Camilleri (Alberto Cristofari,
Contrasto) e un'immagine di Renato
Guttuso e Fabio Carapezza Guttuso
(Archivi Guttuso)

Crediti fotografici
Industrial Foto Studio
di Diego Beccegato, Azzate
Labruzzo Agenzia Fotografica, Palermo
Giuseppe Schiavinotto, Roma
Aldo Antonelli, Roma
Cooperativa Federico II, Palermo
Rai Teche per i fotogrammi di Giuseppe
Tornatore, *Diario di Guttuso*, 1982
© Alberto Cristofari, Contrasto,
quarta di copertina e pp. 4-5
© Renato Guttuso, by SIAE 2008

L'Editore è a disposizione degli aventi
diritto per le fonti iconografiche
non individuate.

L'Editore ringrazia gli Archivi Guttuso
e Marco Carapezza per la gentile
collaborazione.

Finito di stampare
nel mese di ottobre 2008
a cura di Skira, Ginevra-Milano
Printed in Italy

www.skira.net

Sommario

La ripetizione
Andrea Camilleri

Io, Agonzio Calandrino, cordaro, che ho bottega in una via della piazza di grascia detta Bocceria Grande, indove in detta Bocceria trovansi anco comercio di ferrarecci, iuta, canapa e altro per cucimento et ancora roba assai per nutricamento quale carne, pesce et verdure varie, in fè mia declaro esser vero quanto appresso dirò. Trovatomi la matina dello cinco settembriro de lo mille e seicento e cinco inanzi alla bottega mia intento a certe cassette rassettare, vidi nel negotio de davanti a lo mio ov'è vendita di panni per vestimenti e tela d'olona una giovine femina assai di personale aitanza e opulentia nonché mirabile per copia e lucidezza di chiome…

Io, Michele Mattarulo, comerciante di panni e tela d'olona, tengo negotio nella via de la piazza di grascia detta Bocceria Grande propio de davanti al cordaro Agonzio Calandrino. Declaro in fè mia che la matina dello cinco di settembriro de lo mille e seicento e cinco fermossi avante a lo meo negotio una giovine femina di somma beltate la quale chiesemi un certo panno verde di Spagna. Subito che ella parlò, io sentimmi tutto affatare. Mai audita pria avea voce simile! Ella parlar non parea, ma soavemente cantare come dicono far le sirene co' i naviganti….

Ogni simana di sabato matino Anna va a fare la spisa alla vucciria.

"Lo salutasti a don Nino?" – le spia sò marito Peppe quanno torna affannata con cinco o sei buste di plastica nelle mano.

E lei:

"Non lo vitti. Forsi stava travaglianno".

Opuro:

"Non ci passai davanti".

Opuro:

"Aviva clienti, non lo volli disturbari".

Certe volte, la risposta può essiri un semplici sì.

Ma si tratta sempri di farfantarie, perché lei in quella viuzza accussì stritta, accussì china di bancarelle d'ova, di frutta, di virdura, di caci, di carni, di pisci, che in mezzo ci può passari 'na sula pirsona a volta, prifirisci non annarci pirchì si senti assufficcari.

Non per mancanza d'aria, ma è la violenza dei colori che le fa firriare la testa.

Il bianco della scorcia dell'ova allato al giallo delle banane al rosso dei pomodori e dei peperoni al rosa tenniro dei piscispata tranciati al nivuro dei passuluna al bianco lattigno delle ricotte all'arancione dell'aranci, e il bianco virdi dei finocchi diverso dal bianco virdi dei carduna e il virdi cchiù virdi della cicoria diverso dal virdi splapito della lattuca, un colori appresso all'altro, senza 'na pausa, un momento di respiro, non le danno abento.

Quanno finisci di travirsarla tutta e infini arriva a capo della viuzza, si trova ad aviri il sciato grosso come quanno si tocca la riva allo stremo delle forzi doppo 'na longa natata.

Perciò la spisa squasi sempri la fa nella chiazza che c'è subito scinnuti i scaloni di via Roma. Macari qua ci stanno gli stissi colori, certo, ma tra l'uno e l'altro c'è quel tanto di largo bastevoli pirchì l'occhio arriposi. Abbasta non considerari l'aduri delle panelle fritte e del pani cu 'a meusa che t'impregna vistiti e capilli e che ti fa passari il pititto.

Ma stavolta deve annarci per forza, Peppe ha detto che vuole la carni di don Nino. Potrebbe accattarla in un altro posto qualisisiasi la carni, ma si po' Peppe e don Nino s'incontrano e quello addimanna a sò marito pirchì lei non si servi da lui, capace che finisce a schifìo.

E lei non avi nisciuna gana di sciarriarisi con Peppe che certe volte non ci pensa dù volte ad addivintari manisco. Il sabato matino sò marito non travaglia e sinni resta dintra la casa a smurritiarla a ogni minima occasioni. Prima, 'nveci, il sabato matina non la faciva manco scinniri dal letto, sinni ristavano abbrazzati fino a quanno si faciva l'ura di mangiari e siccome lei non aviva avuto il tempo di cucinari, annavano in trattoria.

Don Nino teni la carni appisa a 'na speci di granni croci, agniddruzzi scuoiati e mezzi vò squartati pinnuliano dai ganci pirdenno ancora sangue e quanno il vucceri li tocca o li taglia si mettino ad abballari a leggio a leggio e Anna prova dintra di lei 'na sinsazioni stramma di arrimisculiamento che le parte dalla nuca e le arriva ai pedi e che non accapisce di che natura è.

Quella matina gli vinni la tintazioni d'accattare un piscispata nico che Gnaziu, 'u pisciarolo, le aviva ammostrato invitannola a sintiri quanto era frisco e come sciaurava di mari. Stetti a pinsarici sulo un momento, po' tirò dritto verso don Nino.

Se non gli portava quella carni, Peppe avrebbi armato un burdellu. E capace che sinni sarebbi dovuta scappari nella casa della vicina come era già capitato.

Io il panno di Spagna che la femina chiedeami capii in subito che tenea in negotio, ma feci finta di non avere bene inteso cosa ella volesse onde ancor parlassemi. Et ella il fece, novamente ripetendo il voler suo con tal voce che mutato in statua pareami, impastoiate le gambe e più non sapea indove io mi trovava...

Non sentia quali parole ella dicea a Michele Mattarulo, ma io vedea lui vieppiù pallido in volto diventare e le membra tenere immobili fino a quando con molta difficoltate si mosse siccome sonnambulo, quasi più non riconoscente del negotio suo. Io allora alquanto spaventommi a tale vista e domandommi quale trista magaria fosse quella che la femina ver lui operava...

Inquisitore: Pensaste fosse donna di fora?

Eccellenza, non intendo.

Inquisitore: Vi spiego. Le donne di fora sono esseri sovranaturali alquanto streghe e alquanto fate. Appaiono quali matronali donne per maestà d'andatura, di pose e di voce. Esse ponno a piacer loro la gente arricchire o impoverire, far belli o render laidi, giovare o nuocere. Han facoltà di muover l'oggetti, di far loro ogni umano animo, e come le streghe, unte d'unguento che le fa invisibili, vanno a congressi carnali con lo diavolo.

Eccellenza, io non vorria male ad alcuno fare, ma credo sia proprio femina qual voi dite.

Inquisitore: Narrate che accadde dopo.

Macari 'sta simana Peppe s'è intistato che voli la carni di don Nino.

E non ci sunno santi, deve obbidiri.

La luci di fini luglio pare che passa 'na mano di virnici frisca ai colori delle merci esposte supra alle bancarelle, fanno macari doliri l'occhi. Che uno non po' manco isare pirchì resta abbagliato dalle lampare violente addrumate macari di jorno.

Ma quello che è pejo per Anna è il cavudo che raddoppia gli aduri, l'aria dintra a quella viuzza è addivintata densa di sciauri diversi e tra di loro ammiscati e duna tanticchia di virtigine.

Lei si senti trimoliare le gamme, l'assuglia 'mproviso un senso di languidizza come doppo 'na fevri e avverte che 'na picca di sudori le vagna il petto e le cosce, proprio come le capitava quanno Peppe, ai primi tempi del matrimonio, appena corcato l'abbrazzava e le faciva accapire la 'ntinzioni.

Anna, prima di firmarisi a taliare i mazzi di carduna esposti a mano dritta, fa 'n tempo a vidiri a un passo da lei un omo chiuttosto picciotto, un bel mascolo, i capilli nivuri come l'inca pittinati perfetti, vistuto di tutto punto a malgrado del cavudo, havi persino la cravatta, che sta vinenno in senso inverso al sò.

Mentri pensa che forsi i carduna li dovrebbi accattare per mangiarisilli la sira, si sposta tutta di lato impiccicanno le ghinocchia contro

le cassette per lassare cchiù spazio all'omo che deve passari.

"Permesso, signora?" – dice l'omo.

E data la vicinanza è come se le parlasse all'oricchio e le addimanasse il pirmisso di farle qualichi altra cosa.

Anna prova lungo la schina dorsali un addrizzuni di friddo.

Che bella voci che avi! Arrimisculia il sangue. Profunna, cavuda.

Lei, sempri voltannogli le spalli, arrinesci a fargli guadagnare ancora qualichi centilimetro. Il sò corpo si fa senza volirlo leggermenti rigido, squasi ad addifinnirsi dall'altro corpo straneo che tra un attimo per nicissità di cose dovrà strusciarglisi contro.

Ma l'omo è un vero cavaleri, obbligato com'è a sfiorarla, principia a passare voltannosi macari lui di spalli. Un altro di sicuro si sarebbi approfittato della situazioni. Quante volte le è capitato in autobus o in tram! Anna di colpo si rilassa, rassicurata, e accussì arrinesci a sintiri la muscolatura soda e nirbusa dell'omo sutta alla cammisa e alla giacchetta. Ma quanto ci mette a passari?

L'omo fa un movimento lento lento squasi che volissi fari durari il cchiù a longo possibbili il contatto tra i dù corpi.

Po' s'arritrovano staccati, ma lei si volta a taliarlo e arrussica pirchì macari lui ha fatto la stissa cosa.

Si sorridono, occhi nell'occhi.

Don Nino, appena che la vidi, le spia se si senti bona, la trova troppo pallita. Pallita? Ma se un attimo prima per l'affrunto era russa come un pipirone!

Allora vitti che Michele Mattarulo assai a lento moto entrava nella bottega sua mentre la ditta femina restavansi fuora in fra i banchi de la merce esposta. In quel momento principiò ad avanzare dal fondo de la via Antonello Moscato, giovine di bellissimo aspetto e di molta prestanza che io ben conoscea. Puranco la femina vide il giovine e misesi a isguardarlo ferma nel mezzo de la via. Antonello però di lei non accorgeasi e caminava a testa bassa in qualche suo pensiero assorto. Allora capitò la spaventevole cosa che tutto il cordame che io tenea a vista, otto grossi rotoli almeno, cominciò pria lentamente poscia sempre più sveltamente a srotolarsi da solo col capo di ogni rotolo che moveasi qual testa di serpente risvegliatosi e a strisciare pigliò verso il centro della via. Io per lo spavento grandissimo n'ebbi come un mancamento de la vista e quando essa tornommi gli otto rotoli di cordame eran tornati a esser tali, solo che ora stavano proprio in mezzo a la via...

Appena che uscito fue da la bottega con lo panno verde di Spagna in mano per mostrarlo alla femina, in subito m'accorsi che le due grandi bancarelle che tengo ai lati della porta e che ricolme erano di grossi e assai pesanti rotoli di stoffa ora eran del tutto vacanti essendosi da soli i rotoli rotolati tutti in mezzo alla via. Et parimenti vidi il cordame di Agonzio Calandrino avere fatto l'istesso. Sicchè lo spatio de la via erasi di molto assai ristretto, ora solo una persona a volta e stentatamente transitar vi potea. Pensai che ciò fosse a motivo di un qualche tremuoto ma poi vidi...

Antonello Moscato solo allora parve accorgersi che i rotoli di cordame da un lato e i rotoli di panno dall'altro faceano strettissimo sentiero. Allora, assai sorpreso fermossi, indi alzò l'occhi e vide che oltre proseguire più non potea perché proprio avanti a lui trovavasi la femina che parimenti l'isguardava…

Poi dopo alquanto tempo che parvemi un'eternità che stavansi a isguardare, la femina lentamente allargò le braccia e Antonello con una specie di lamento tra di esse buttossi. La femina a sé strinselo con passione e tutto lo basciava…

Quindi avvenne, pur essendo la matina senza manco una nuvola, un lampo improviso che accecommi…

Il cielo era sereno e senza nuvole. Ma a ciò malgrado fue allora un lampo che accecommi…

Di Antonello e de la femina non eravi più traccia e il cordame tornato al posto suo si era…

Non vedea né la femina né Antonello, i rotoli de' panni eransi novamente in su le bancarelle rimessi…

"Anna, stamatina pigliami pisci" – dice Peppe vidennola pronta a nesciri per annare a fare la spisa.

"Ma come? E la carni di don Nino?"

"Mi stuffò. Per tanticchia, mangiamo pisci."

Veni a diri che l'accatterà da Gnaziu indove trovi sicci, calamari, purpi, sgombri, gammaroni, trigli, mirluzzi, piscispata, aiole, tutta roba fri-

sca. E Gnaziu, per lei, avi sempri un occhio di riguardo.

Appena fora di casa, il cavudo è come 'na mazzata.

Anna Canzoneri, oltre a li duo mercanti Michele Mattarulo e Agonzio Calandrino, testimoni ratificati de la stregoneria vostra, fue lo stisso Antonello Moscato a confessare, invero dopo aver patito qualche tratto di corda, come voi in suo potere redutto l'avete e costretto a carnali congiungimenti anche contro natura ancorchè egli con tutte sue forze tentasse di refutarse a tali infami pratiche. Elli ha medesimamente contato che poco pria del congiungimento spuntavavi una coda come quella del porco larga un palmo la quale scompariva appena che l'atto finia. Signo inequivocabile de la possessione diabolica, dell'esser voi creatura sua, ista coda...

Prima del pisci, Anna ha accattato tanticchia di virdura, 'na chilata d'aranci e quattro finocchi che teni dintra a dù buste di plastica gialle. Ora continua a taliare a mano dritta, tintata dai passuluna esposti, accussì nivuri e belli grossi.

Anna Canzoneri, avete qualcosa da dire prima che questo tribunale dia la sentenza?

Haju patuto et haju guduto. M'haju pigliatu gran piaciri chi cca nuddru si po' pigliari.

Questa è la vostra risposta?

Sì. Ma voglio ripitiri quello che dissi sotto tortura. Michele Mattarulo e Agonzio Calandrino io li conoscea già da tempo. E tutti e dù più e più volte m'avivano fatto proposte di giacermi secoloro molto concupendomi e promettendomi se io alle voglie loro accondiscendeva l'uno ricchi panni per vestimenta e l'altro un sacchetto di moneta d'oro. Et io sempre a loro erami negata. Allora che m'hanno visto 'nnamurata di Antonello hanno voluto pigliarsi vendetta contando la fantasia che io aveva mosso per magia la robba loro onde costringere Antonello a imbattersi meco. E infine voglio macari pirdonari ad Antonello per quello che lui vi ha contato di mia. Io non avia nisciuna cuda, non sugno 'na strega, ma 'na fimmina 'nnamurata. Lui quelle cose le ha ditte sulo per scappare alle torture vostre, mischineddro.

Non sentite il bisogno di pentirvi?

Non ci si po' pintiri di la gioja. La gioja, la filicità si ponno sulo rimpiangiri quanno si sono perse. E di mia, di lu mè corpo straziatu, facitinni quello che voliti.

Anna isa l'occhi e se l'attrova davanti.

Il cori le dà come 'na gran botta 'n petto, la fa traballiare.

A malgrado del gran cavudo, lui è vistuto di tutto punto.

Ma non come a sabato passato, non avi la cammisa e la cravatta ma un maglioni giallo a girocollo e supra 'na giacchetta grigio scura. Havi la varba longa, trascurata, ma i capilli sunno ben pittinati. Sutta all'occhi, dù ummire scure. E l'occhi che la taliano sunno sbrilluccicanti come quanno si avi la fevri. L'omo è serio, squasi malincuniuso. Sta fermo a taliarla e non le cedi il passo.

E lei non voli che lui le ceda il passo, voli ristarsene ancora a longo accussì, ferma, immobili, voli essiri ancora taliata da quell'occhi ma-

lincuniusi, dintra a questo profunnissimo silenzio 'mproviso, pirchì di tutto il grannissimo vociare della vucciria non le arriva nell'oricchi cchiù nenti, manco il volare di 'na musca.

E macari il tempo pare essirisi firmato, le pirsone sono come bloccate a mezzaria nei gesti che stavano facenno.

Anna pensa d'attrovarisi, come per una magaria, pittata dintra a un quatro con lui davanti e torno torno tutto il resto della vucciria.

Pittata per l'eternità.

Questo Tribunale della Santa Inquisizione, stante il fatto che la rea di stregoneria Anna Canzoneri non ha voluto far confessione niuna de le orrende colpe sue, la condanna, vestita solo con un sacco, a esser murata viva in una delle secrete dello Steri senza acqua né nutrimento alcuno fino a che la morte...

"Mi chiamo Antonello" – dice lui senza mai staccare l'occhi da quelli di lei.

"Io mi chiamo Anna."

E mentri dici il sò nomi, di colpo il munno ripiglia a firriare, le voci e i colori esplodono tutto 'nzemmula in una sinfonia che non la stravolge cchiù ma anzi è l'accompagno giusto a quello che le sta capitanno.

Ora sa che il sò distino è signato, qualisisiasi cosa che possa succediri non potrà cangiarlo.

Manco se Peppe la mura viva dintra a 'na cammara.

Nota

La Ripetizione è un racconto direttamente suggeritomi dalla *Vucciria* di Guttuso. Il modo che mi è più congeniale per renderle omaggio. Giuseppina Restivo nel suo *Le Soglie del postmoderno: Finale di partita* (Bologna 1991) ha incontrovertibilmente dimostrato come appunto il beckettiano *Finale di partita* riutilizzi le situazioni visive e gli oggetti contenuti nell'incisione *Melencolia 1* di Dürer.

Un narratore o un commediografo, davanti alla *Vucciria*, avrebbero materia di scrittura sino alla fine dei loro giorni.

La vucciria la conosco bene.

Negli anni '44-'47 frequentavo l'università di Palermo e quasi ogni giorno mi ci recavo per mangiarmi 'u pani cu 'a meusa di cui ero ghiottissimo. E spesso la sera andavo alla mitica trattoria Panarelli col solito gruppo d'amici, Marcello Carapezza, Leo Guida, Giuseppe Ruggero, Angelo Musco jr. e altri.

Era un luogo che apriva la fantasia.

Perché era un luogo dov'erano possibili accadimenti impossibili altrove. Quando Guttuso fa lo scherzo di chiedere a qualcuno che ha appena visto la sua grande tela quante persone vi siano raffigurate, ottiene quasi sempre risposte sbagliate o incerte.

E non può essere altrimenti, perché Guttuso sa bene d'essere riuscito a suggerire il fenomeno delle apparizioni-sparizioni che vi è (o vi era) così consueto.

Per esempio, se contate le figure umane centrali, a partire dalla donna di spalle con i sacchetti di nylon in mano, di primo acchito vi paiono essere sei. Invece sono sette. Del settimo, che è appena passato sotto la lampara centrale, s'intravede solo la testa con la coppola.

Sta scomparendo o sta comparendo?

Nel 1944 c'era, nella vucciria, il negozio privo d'insegna di don Jachino. Era una cameretta a pianoterra di quattro metri per quattro, senza nemmeno una finestra, i cui muri erano interamente ricoperti di ripiani di legno assolutamente vuoti. Non una scatola, un barattolo, niente. C'era anche un minuscolo bancone che sopra aveva solo un dito di polvere e basta.

Don Jachino se ne stava sempre seduto sopra una sedia di paglia accanto alla porta. Che diavolo vendeva? Cominciai a essere sempre più intrigato. Misi il negozio sotto stretta sorveglianza.

Così ebbi modo di notare che ogni tanto qualcuno s'avvicinava a don Jachino e, chinandosi, gli sussurrava qualcosa. Don Jachino non rispondeva con le parole, con la testa faceva cenno di no o di sì e quando diceva sì, con le dita formava un numero, tre, cinque, sei…

Finalmente ebbi fortuna. Un giorno vidi ricomparire un signore al quale don Jachino, tre giorni avanti, aveva risposto di sì mostrando tre dita. Appena lo vide arrivare, don Jachino si alzò ed entrò nel negozio. Si chinò, prese da dietro il bancone un grosso pacco e lo porse al signore. Il quale, dopo aver deposto sul bancone dei biglietti di banca, messosi sottobraccio il pacco, si voltò, fece un passo e sparì. Letteralmente.

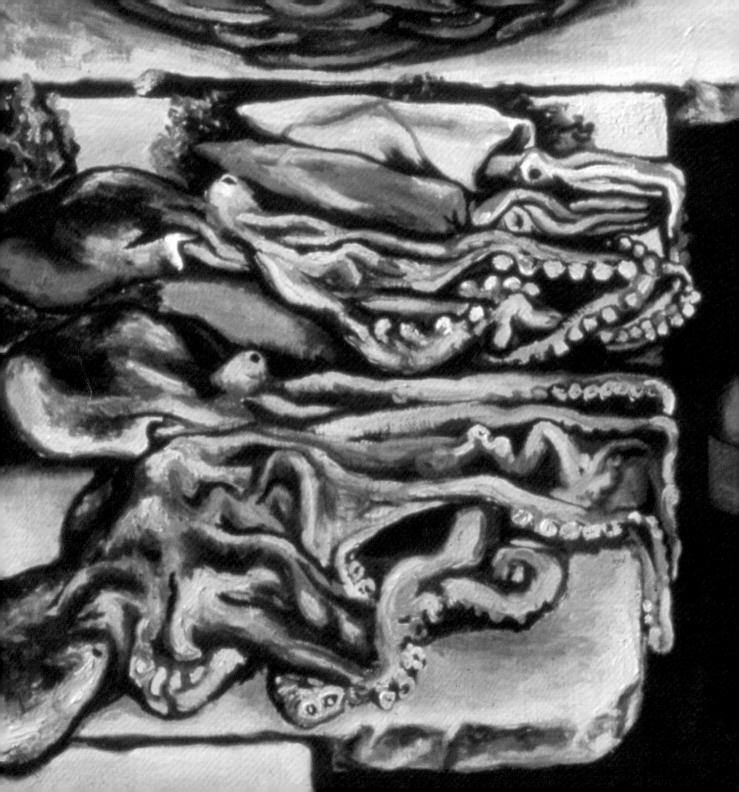

Restio come sono a credere alla magia, approfittai che don Jachino indugiava a contare i soldi per infilare la testa, per un attimo, dentro al negozio. Nella parete di destra, invisibile dalla porta esterna, c'era una strettissima apertura che immetteva in un'altra stanza. Che era certamente dotata di un'uscita posteriore.

A farla breve, don Jachino vendeva refurtiva su commissione. Avevi bisogno di una pendola funzionante stile Impero? Andavi da don Jachino e lui ti diceva entro quanto tempo te l'avrebbe fatta trovare. Per precauzione, faceva uscire i clienti da una porta diversa da quella dalla quale erano entrati.

Tornando al racconto, dirò che per esso mi sono avvalso non solo della memoria e di una grande riproduzione gentilmente fornitami da Fabio Carapezza Guttuso, ma anche di due momenti preparatori compresi nel volume *Renato Guttuso. La potenza dell'Immagine, 1967-1987*, a cura di Fabio Carapezza Guttuso e Dora Favatella Lo Cascio (Roma 2007). Nel primo, uno studio, l'uomo da me chiamato Antonello ancora non vi compare; nell'altro, un bozzetto, Antonello invece c'è ma diversamente vestito.

Per la storia d'amore rievocata attraverso l'Inquisizione, mi sono servito di *L'Inquisizione in Sicilia* di Francesco Renda (Palermo 1997) e di *Inquisitori, negromanti e streghe nella Sicilia moderna* di Maria Sofia Messana (Palermo 2007).

a.c.

Storia di un quadro
Fabio Carapezza Guttuso

"Ho sempre pensato che l'onore di un pittore consistesse nel dipingere quadri grandi, e poi ho sempre avuto questo desiderio. Non sono molto favorevole alla pittura murale perché è condizionante e porta a un eccesso narrativo o a un eccesso decorativo"[1], affermava Renato Guttuso, che con i grandi quadri aveva stabilito un appuntamento rituale, una sfida sempre più frequente, come pause musicali nella continuità della sua attività creativa.

Dalla fine degli anni Sessanta tali appuntamenti si erano intensificati fino ad acquistare una cadenza quasi annuale, talvolta davano vita a grandi cicli, come quello picassiano, composto nel 1973 per commemorare la scomparsa del grande amico pittore, altre si consolidavano attorno a un'unica grande opera, come nel caso de *La Vucciria*, 1974. I grandi formati costituiscono sempre il punto massimo della sua riflessione creativa, tendendo anche ad assorbire la restante parte della sua produzione dello stesso periodo. C'è qualcosa che differenzia profondamente tali opere da quelle, pure di grande dimensione, che Guttuso aveva realizzato fino agli anni Sessanta. Egli, come sottolinea Enrico Crispolti, "sembra ora darsi compiti di grande organizzazione figurale come quasi imprescindibile misura del suo rispondere alla storia in atto del proprio presente, dando a tali risposte la maggiore complessità immaginativa e la più vivida evidenza emblematica. Perciò il suo realismo assume definitivamente una dimensione di traslato 'allegorico'"[2].

Guttuso, quindi, anche quando è testimone nei suoi quadri di avvenimenti di grande drammaticità, che negli anni Cinquanta avrebbero dato vita a opere più immediatamente rappresentative, fa ricorso alla mediazione della memoria. Così per il terremoto del Sessantotto in Sicilia crea, con la grande tela *La notte di Gibellina*, 1970, un'ampia visione, quasi un sogno, del lutto che ha colpito gli abitanti del Belice, inserendo nel quadro tutti i ricordi, le sensazioni, le voci, gli odori del mondo contadino con i quali nel corso della sua vita è entrato in contatto. Corpi come ombre, spesso senza volto, percorrono il quadro alla luce tremolante delle torce: quasi l'idea delle recenti scosse sismiche. Guttuso precisa quanto la memoria incida in questo momento storico nella sua percezione della realtà: "credo al legame tra presente e memoria: la 'memoria' è il nostro vero spazio, ma non per me sotto il segno del sogno all'indietro o come nostalgia; piuttosto come mezzo di ricognizione del proprio presente. Credo cioè alla materialità della memoria"[3].

Genesi del quadro

Alcuni grandi quadri, gli appuntamenti che Guttuso ha preso con se stesso per riflettere sul proprio tempo, hanno richiesto un processo particolarmente lungo di maturazione. Come notò acutamente Ungaretti: "Spontaneo è sempre Guttuso, ma il suo non potrebbe mai apparire un operare facile. La preparazione è tutta interna, segreta, si accumula lungo i lunghissimi anni di prove, si perfeziona, accumulandosi, sempre di più di volta in volta che occorra l'artista

Renato Guttuso e Giuseppe Tornatore alla Vucciria.

Guttuso dipinge la Vucciria.

Immagini tratte da Diario di Guttuso, *regia di Giuseppe Tornatore, RAI, 1982. Per gentile concessione di Rai Teche.*

faccia ricorso, per parlare con la sua magica matita, al tesoro di Alì Babà".[4]

La Vucciria, dedicato all'omonimo mercato popolare palermitano, è certamente tra questi. Dipinto nell'autunno 1974, nel corso di un mese di intensa applicazione, aveva richiesto all'artista un lunghissimo processo di sedimentazione delle immagini e degli spazi, quasi cinquant'anni, perfetta esemplificazione del delicato equilibrio che deve esistere tra presente e memoria, come ricordava lo stesso Guttuso.

"La 'Vucciria' me la ricordo da ragazzo, quando da Bagheria venivo a studiare a Palermo. Scendevo dalla parte dei gradini di via Roma entravo in piazza Caracciolo e sbucavo nella piazza San Domenico. Mi bastava questa ventata popolaresca, i suoni, le luci, le voci per cambiare registro alla mia mente. Senza saperlo, forse senza volerlo, nella retina si impressionavano quei canestri di canna dove c'erano trionfi di frutta, i grandi banchetti di pesci distesi a semicerchio sui marmi dei pescivendoli. E quando cominciai a pitturare, fra le prime cose ci furono quei colori, quei tagli di luce, magari lo stesso taglio della composizione."[5]

Guidati dalle parole dell'artista ripercorriamo l'effettiva genesi del quadro che, come tanti grandi formati, è stato dipinto nello studio di Velate, vicino Varese, lontano fisicamente dal mercato ma anche dalla luce palermitana, nell'ombrosa quiete lombarda dove più facile era per l'artista ordinare i ricordi e le sensazioni prima di dipingerli.

"Chi conosce la 'Vucciria', questo straordinario avvallamento urbano nel quale si incastrano e si accavallano mille botteghe del mercato di Palermo, sa in quale intrigo di vicoli, di piazzette, di crocicchi, di scalinate esso si articoli; sa l'importanza che hanno il vocìo, il frastuono, gli odori, il brulichìo della gente. Come fare per raffigurare qualcosa, almeno, di tutto ciò, nelle due dimensioni di una tela?

Dopo molte esitazioni ho scelto una misura quadrata (tre metri per tre metri).

Ho eseguito il primo disegno d'insieme il 20 luglio e ho continuato a disegnare e dipingere opere di 'contorno'; studi, se si vuole, nati più per trasformare un fervore immaginativo in azione, e partire dall'azione per affrontare il quadro che è stato dipinto dal 1° ottobre al 6 novembre 1974."[6]

Prima di affrontare la tela, Guttuso, nel Natale del 1973, si dedica a un'appassionata campagna fotografica, fissando sui negativi, rigorosamente in bianco e nero, i trionfi di merce del mercato e le tende incombenti, le grandi lampade e gli stretti vicoli. Ricordo l'emozione provata nell'accompagnarlo, lungo gli intricati vicoli della Vucciria, ascoltando dalla sua calda voce baritonale i suoi ricordi, le diverse grida che gli erano rimaste impresse. La nostra guida era il fido Isidoro[7], al quale bastava un'occhiata per scegliere il banco dove assaggiare il polpo o le olive, per distinguere il pesce locale da quello atlantico, per segnalarci che nelle vesti di un umile "fichidindiaro" si celava uno dei più abili e pericolosi uomini di coltello.

È lo stesso artista, da sempre appassionato fotografo, che ci spiega quale ruolo abbia avuto la documentazione fotografica.[8] "Disponevo di un gran numero di fotografie fatte da me e dall'amico Ninni Mineo. Me ne sono servito ma come per 'ripassare' un testo che si andava strutturando in senso opposto ai suggerimenti che ricevevo dalle foto. Il quadro, infatti, non è una 'immagine' e neppure una serie di immagini. È una sintesi di elementi oggettivi, definibili, di cose e persone: una grande natura morta con in mezzo un cunicolo entro cui la gente scorre e si incontra."[9]

Il quadro, quindi, pur rappresentando pienamente il mercato della Vucciria, come Guttuso lo conosce fin da bambino per averlo attraversato tante volte, è tuttavia diverso dalle immagini che l'artista ha scattato, dai suoi stessi ricordi e da ciò che un viaggiatore potrebbe trovare visitandolo. Inutilmente percorreremmo gli intricati vicoli alla ricerca di un angolo corrispondente all'immagine che Guttuso ha creato. I fatti e le immagini, i ricordi e le fotografie, si sono trasformati in un'idea: l'idea del mercato, quasi un paradigma. "Un'idea", ci avverte Guttuso, "che è un oggetto, da trattare come tale e percepibile, visibile da ogni parte." Se, però, dalla visione d'insieme del quadro fissiamo la nostra attenzione sulle merci – le uova, i pesci, le olive – allora ritroviamo intatta la pulsante realtà delle mercanzie, che emergono con quella forza e ricchezza espositiva che solo i mercati dei paesi poveri, Marrakesh come Tashkent, possiedono, per offrire anche a quelli che non possono comprare niente di partecipare, almeno visualmente, a quella ricchezza. "È una visione, un sogno, un miraggio", scrive Leonardo Sciascia, "'un mangiar visuale': e con effetti di appagamento e delizia pari a quelli delle 'bevute visuali' del Magalotti."[10] Guttuso stesso ricordava come fosse diverso consumare il suo povero "pane e panelle", camminando tra le botteghe della Vucciria con la vista e l'olfatto, nonché l'udito per le grida dei venditori, sollecitati dalle prelibatezze offerte.

Velate è quindi il luogo dove il quadro fu dipinto; la necessità di Guttuso di ricreare nel suo studio l'atmosfera dell'opera in lavorazione creò qualche problema organizzativo. Ricordo con grande precisione il frenetico via vai di verdura, frutta, ortaggi, pesci e di ogni altro ben di Dio. La maggior parte della merce non poteva, però, essere reperita nei mercati lombardi. Guttuso non avrebbe ritrovato i colori e i profumi delle specialità isolane, indispensabili a risvegliare la memoria del luogo. Al mattino presto, da Palermo, telefonava il fido Isidoro per comunicare che la "robba" era stata caricata sul primo aereo per Milano. Alle 9,00 in punto, Aldo[11] era già all'aeroporto di Malpensa, per ritirarla. Un'ora dopo il materiale era in studio, pronto per il maestro. All'una passava alla competenza della cuoca. Alle volte ciò che per noi, avvolti ormai nella febbrile ansia creativa del maestro, sembrava normale, per altri era assurdo.

Accadde appunto, quando al macellaio di Varese fu chiesto di portare un mezzo bue intero in studio "per non più di due ore" – lo aveva assicurato Guttuso – "il tempo di fissarlo", lì dove campeggia come una scultura in primo piano nel quadro. Non potrò mai dimenticare quelle due ore nel caldo estivo di Velate, tra il tormento del macellaio che guardava preoccupato la carne lontana dal frigorifero e la profonda tensione dell'artista che vedeva progressivamente trascolorare le tinte fissate sulla tela.

Analisi del quadro

Prima di affrontare il quadro Guttuso realizzò, come era solito, molti studi riferibili allo stesso soggetto. Spesso si tratta di grandi nature morte, altre volte di schemi compositivi della stessa *Vucciria* profondamente diversi dalla versione definitiva. È importante però analizzarli prima di guardare il quadro per capire la complessa, progressiva costruzione guttusiana.

Il primo in ordine di tempo, *Studio per la Vucciria, 74/15*, è realizzato con la tecnica del collage che Guttuso utilizza per ottenere un primo, convulso, assemblaggio degli oggetti e delle persone che entreranno nel quadro. La scelta di adoperare ritagli di giornale per rappresentare le merci è funzionale a un'idea che è ancora in embrione e che deve essere ancora maturata. Dalle cassette emergono, come da sudari, inquietanti figure picassiane, memoria del recente ciclo di opere, che scompariranno già nel secondo studio. Le figure sono ancora distribuite tra le cassette. Non si è creato quello spazio ben definito che scandirà il percorso della gente. Mancano le lam-

Mercato della Vucciria, 1974
(foto Labruzzo, Palermo)

Mercato della Vucciria, 1974
(foto Labruzzo, Palermo)

pade, le grandi lampade sfavillanti che campeggiano nel quadro definitivo.

Nel secondo, *Studio per la Vucciria, 74/16*, realizzato con la tecnica dell'acquerello, compare una lampada, aumenta lo spazio dedicato alle cassette di pescato sulla sinistra, con un venditore che grida stringendo tra le mani un pesce.

Nel terzo, *Bozzetto per la Vucciria, 74/17*, eseguito interamente a matita, i personaggi cominciano a raccogliersi al centro del quadro, il venditore di pesce impugna la spada del pesce spada e compaiono le tende che orientano il taglio della composizione. In alto, un altro venditore grida e tiene appesi a una mano due galli, emerso, come un'apparizione, dalla memoria dell'artista: "C'era, allora, in un angolo di piazza Caracciolo, un uomo che teneva per le zampe un gallo. Lo metteva in vendita a braccio teso, aveva una statura da monumento, e attorno giostravano e correvano i picciotti, le donne col paniere della spesa."[12]

Insieme alla grande composizione sono stati realizzati molti importanti studi, come ci ricordava Guttuso stesso: "Quando si raccolgono le idee gli scarti sono pochi o perlomeno non molti. Però nel momento della realtà, quando la tela attende i primi colpi di pennello, ti accorgi che in quello spazio non puoi metterci tutto, qualcosa o parecchio deve pure restar fuori. Sembra ovvio dover arrivare alla sintesi, ma ogni ricordo trattenuto per anni fa fatica a essere escluso. Può capitare, in un quadro, di dover cercare qualcosa (macchia, oggetto) da mettere in un determinato posto per equilibrarlo. A volte riesce, qualche volta meno. Nel quadro de *La Vucciria* mi è accaduto di dover soffrire nello scarto, di avere dubbi, di sentire la rinuncia come amputazione".[13]

L'artista è adesso pronto ad affrontare i nove metri quadri che implacabilmente lo attendono con il bagliore e il grande vuoto delle tele bianche. Unico aiuto, un piccolo montacarichi che gli permette di restare a una certa altezza con la sua tavolozza, l'immancabile sigaretta sempre accesa tra le dita e la tazzina di caffé. La costruzione è assolutamente perfetta, ogni tessera compone in maniera rigorosa e funzionale il mosaico finale del quadro dove ogni cosa, mercanzie, venditori, lampade, cassette, ma soprattutto le persone hanno trovato un'idonea sistemazione.

Il quadro è attraversato dalla gente che procede nelle due direzioni, attraversando uno spazio longitudinale circoscritto dalle cassette. Se proviamo per un attimo a distogliere lo sguardo e cerchiamo di ricordare il numero esatto delle persone presenti nel mercato difficilmente saremo in grado di rispondere correttamente. Guttuso stesso metteva alla prova gli amici e quasi mai la risposta era esatta. La difficoltà scaturisce dalla perfetta incastonatura dei visitatori nel mercato.

Due figure mute appaiono, minacciose. L'una, sulla sinistra, brandisce con una mano la spada del pesce spada e con l'altra un lungo coltello. La seconda, sulla destra, è in ginocchio con un coltello,

Mercato della Vucciria, 1974
(foto Labruzzo, Palermo)

Mercato della Vucciria, 1974
(foto Labruzzo, Palermo)

di cui appare solo l'impugnatura, totalmente immerso nella massa sanguinolenta del mezzo bue appeso. Sembrano i terribili guardiani del tempio-mercato, che custodiscono l'entrata di quella via obbligata dove la gente si *struscia* e procede fino al grande semicerchio dove le cassette, piene di cibo, si elevano progressivamente fino a disegnare un emiciclo, come una cappella. Una rigorosa definizione, prospettico-spaziale, nella quale i due bracci, tracciati dalle cassette, convergono come a voler sigillare una cupola, che manca, verso la quale le persone avanzano fino a essere inghiottite dal semicerchio. Il pensiero corre alla grande *Pala di Brera*, 1472-1474, di Piero della Francesca, artista amato e studiato[14] da Guttuso, e alla sua perfetta architettura, con le trabeazioni, gli archi con rosoni e la volta a lacunari che precede l'abside. Anche le tre lampade che pendono, (nell'ultimo studio erano distribuite in tutta la composizione, e sono ora concentrate nell'emiciclo finale), producendo una luce abbagliante, pur non necessaria perché le vivande sono evidentemente illuminate dalla luce solare, rimandano all'enigmatico uovo che nella *Pala di Brera* pende sulla Madonna, indicando il centro dell'arco absidale. In effetti, come nel quadro di Piero, dove l'uovo perlaceo ha una forte importanza anche per l'equilibrio architettonico, le lampade intensificano l'effetto spaziale della composizione. Ne *La Vucciria*, come nella *Pala*, numerosi sono i personaggi rappresentati. Probabilmente anche Federico duca di Montefeltro, che nel quadro di Piero è inginocchiato, in armi, con le mani nude, dipinte con forte accento realistico, (forse memoria delle sue recenti imprese guerresche, la presa di Volterra), trova una collocazione nel quadro di Guttuso. Nei panni ben più democratici del macellaio che è inginocchiato, con il coltello in mano, davanti al grande mezzo bue. È importante notare come l'enorme massa sanguinolenta del bue squartato – quello che aveva impensierito il macellaio – con la striatura rossa del costato e la cavità scura del ventre, costituisce come nota Franco Grasso "il monumento nel quadro", ma "rientra con misurata forza nel contesto compositivo senza turbarlo, isolato com'è tra i freddi supporti metallici e le lucide mattonelle della bottega".[15]

La divisione tra le merci è rigorosa: a sinistra stanno i pesci, quelli inviati da Palermo, prima i polipi, nel loro viscido ammasso, poi gli altri ancora guizzanti, con le aragoste e i gamberi ancora in movimento, fino al pesce spada che mostra la recente rosea ferita e che viene impugnato, trattenuto, dal venditore per la spada. A destra le uova perlacee, e poi le carni e i formaggi, le olive, la frutta, la verdura. In fondo le rosse mele, con le arance e le pere, sistemate nelle alte cassette che si incastellano in semicerchio, ricordano, con il loro apparente instabile equilibrio, i grandi trionfi di ceramica invetriata con i quali i Della Robbia ornavano le loro composizioni.

Se *La Vucciria* sia o meno annoverabile tra le nature morte, come sostenuto dallo stesso Guttuso, o invece tra le nature vive ha diviso i critici.

Mercato della Vucciria, 1974
(foto Labruzzo, Palermo)

Mercato della Vucciria, 1974
(foto Labruzzo, Palermo)

Maurizio Calvesi la descrive come "voceria-scannatoio, quest'esplosiva confusione, scalpiccìo, intruglio, queste cascate o quasi montagne russe di natura morta" [che] "Guttuso ha dipinto con un impegno la cui attualità è nell'anacronismo". "Quella che chiamiamo la 'anacronistica' attualità di Guttuso si coglie a contrasto di certo freddo delle più recenti sperimentazioni in arte, in chiave di concettualismo ormai sfiatato, di vantate anemie pittoriche."[16] Altri preferiscono parlare di natura viva, come Franco Grasso, "una sorprendente natura viva, una lezione di pittura e di umanità direttamente scaturita dalle cose e dalle persone".[17] Micacchi, considerando il quadro una natura morta, lo colloca nella tradizione pittorica della realtà. "La Vucciria", scrive, "si colloca in quella linea di pittura della realtà che ha avuto i suoi rivoluzionari nel Caravaggio e nei caravaggeschi di tutta l'Europa, in Vermeer, negli spagnoli Sanchez Cotán, Velázquez e Zurbarán; nei lombardi Baschenis e Ceruti; nei francesi Chardin e Courbet; in Cézanne e nel vario cubismo di Braque, Picasso, Gris e Léger (con l'influenza avuta sul corso della pittura russo-sovietica). Sono pochi nomi di una linea grande e ricchissima (una certa illuminazione italiana è stata riportata da Giorgio de Chirico, Giorgio Morandi, Alberto Ziveri, Mario Mafai e da Guttuso stesso con le grandi nature morte in interno degli anni Quaranta). Una linea che, con le pitture di 'nature morte' o 'immobili' o 'silenziose' o di 'oggetti in ferma', di tavole, di cucine, di mercati, di trofei vegetali e animali, con o senza figure umane, mentre rifondava la pittura sullo sguardo e sull'imitazione delle cose naturali proponeva un'immagine della realtà provocatoria e contestatrice, un'immagine scandalosa socialmente ed esteticamente, nei confronti della realtà convenzionale, della società e del gusto."[18]

Il quadro offre, proprio per la sua ricchezza di cose vive e corruttibili, l'occasione per considerazioni sulla morte, sulla profonda deperibilità dei beni offerti, destinati in breve tempo a trasformarsi in rifiuti, sulla caducità dell'effimero.

Le persone, i visitatori che percorrono lo stretto canale, suggeriscono a Goffredo Parise pensieri di morte: "Erano vivi, ma ho avuto la sensazione, in mezzo a tanta natura morta, a tanta luce e tanto sangue, che il loro destino come il destino di quel bue appeso o di quel coniglio o di quei pesci spada e di tutte le verdure, così belle e colorate e fresche ed estive, è di corrompersi e morire. [...] Nessun altro quadro di Guttuso, eppure i suoi paesaggi, i suoi ritratti e le sue nature morte italiane sono tanti, ha mai espresso con tanta intensità il sentimento profondo del nostro paese".[19]

Brandi nega decisamente che si tratti di una natura morta sottolineando la presenza di un fondo nero: "In realtà il quadro è tutto fuorché una natura morta: difficilmente l'evocazione di frutta, verdure, carni, pesci, uova, può aver dato luogo a una partecipazione corale così ardente: il quadro brucia, il quadro, con tanti timbri quasi violenti che si cozzano, in realtà vive entro contorni

Mercato della Vucciria, 1974
(foto Labruzzo, Palermo)

di pece, listato a lutto. 'Così rutilante di colori' ebbi a scrivere 'ma come su un fondo nero, come dipinto su una lastra di lavagna, non è meno tragico di Gibellina'. E proprio questo è il fatto per cui il quadro non lascia, non può lasciare indifferenti: c'è, scritta fra i righi, tutta la sorte, né vi è sorte più tragica, della Sicilia; questa terra che è un Paradiso terrestre e un'orrenda fossa di vipere, dove non per nulla fu messa dagli antichi la porta dell'Inferno, e non nell'Etna, ma in un lago quieto e sereno, il lago di Pergusa, e qui scomparve Persefone; e di qui Persefone riappare fra i gelsomini e gli aranci, fra i colpi di lupara e le morti bianche. *La Vucciria*, questa specie di Suburra palermitana, affascinante e repulsiva, è nel grande panorama di Guttuso, come antitesi dei *Funerali di Togliatti*: questi, un monocromo con urli di rosso acceso, questo, il dipinto più cromatico, in un certo senso, che esista, ma dove la sua policromia va espressa in termini musicali per arrivare a capire come stanno insieme senza dissonare, tanti colori, al modo cioè dei tanti timbri diversi in un'orchestra, timpani e legni, archi e ottoni, arpe e celeste. Solo con questo riferimento, non di comodo, ma oggettivo, si può spiegare che il quadro è orchestrato, che il quadro è tenuto insieme, come una musica dalla tonalità, da quel nero di fondo e visibile, solo nei contorni".[20]

"Brandi", riconosce Guttuso "ha detto una cosa giustissima: 'È un quadro nero', sembra cioè dipinto sopra un fondo nero. Voglio dire: a un certo punto, mentre dipingevo, mi sono accorto come

tutta quella abbondanza di vita contenesse, nel fondo, un senso distruttivo. Senza che io ci pensassi o volessi, la tela esalava un sentimento di morte."[21]

Un grande silenzio avvolge tutta la composizione, non si sentono le voci dei venditori, immobili nei loro solenni atteggiamenti, né quelle degli acquirenti che si incontrano, si incrociano, si guardano.

Proprio il silenzio che avvolge la composizione suggerisce a Sarah Whitfield come "la maestosa vitalità"[22] della *Vucciria*, incarni uno di quei "momenti di pensiero" nei quali Guttuso ritrova il mistero della realtà, un mistero meno evidente nell'immediatezza dell'osservazione diretta. "L'intensa compressione della realtà della *Vucciria*, il mercato popolare al centro di Palermo" – scrive infatti la Whitfield – "si fonde con una immobilità naturale, che blocca l'imma-

Mercato della Vucciria, 1974
(foto Renato Guttuso)

Alle pagine successive
Mercato della Vucciria, 1974
(foto Renato Guttuso)

gine della gigantesca natura morta in una dimensione trasognata. I prodotti freschi, ordinatamente ammucchiati, sono presentati come una folla gioiosa e trionfante, più viva e animata dei silenziosi esseri che attraversano il centro di questa abbondanza. La vitalità e la generosità che Moravia scorgeva nella pittura di Guttuso si esprimono con la massima intensità in questo che è stato il più appassionato omaggio alla Sicilia. 'Tutti i mucchi di cui l'uomo si interessa sono radunati insieme', dice Canetti[23], e nella *Vucciria*, il senso di 'molte mani sono state impegnate nel raccolto' dei ricchi prodotti della terra siciliana si esprime in un'immagine di semplice verità e spontanea grandiosità. Contemporaneamente, la tristezza e l'abbandono che hanno avuto una parte tanto importante nella storia della Sicilia, l'alienazione della gente comune dalla terra, si esprimono nel silenzioso distacco delle figure […] Il successo della *Vucciria* dipende dal modo in cui [Guttuso] riesce a compendiare passato e presente senza ricorrere alla facile retorica della pittura storica".[24]

Il quadro ha subito dimostrato di incarnare una fortissima valenza iconografica e non solo presso i critici italiani e internazionali ma anche nelle botteghe siciliane dove accanto a un'immagine votiva, con grande frequenza appare, con la forza di un'icona, un'immagine de *La Vucciria*.

La sua attuale collocazione

Un quadro così importante, che riesce a racchiudere in sé la complessità della Trinacria, la sua storia e i suoi colori, la sua gente e le sue cose, restituendo alla Sicilia la sua stessa immagine, doveva trovare una collocazione che lo inserisse, anche fisicamente, nella storia dell'isola.

Palazzo Chiaramonte, detto *Steri*, da *Hosterium Magnum*, palazzo fortificato, costruito da Giovanni Chiaramonte[25] nel 1320, a Palermo, sulla parte più elevata del pianoro marino, oggi Piazza Marina, non poteva rappresentare luogo più idoneo. "Le sue vicende", scrive Pitrè[26], "sono vicende di Palermo, la sua architettura è architettura della Sicilia; e ogni sua pietra ricorda una istituzione, narra un fatto, uno dei cento fatti che compongono il serto di rose dei governanti, la corona di spine dei governati. Da Manfredi Chiaramonte I a Domenico Caracciolo, ad Asmundo Paternò, a noi tutti per sei ininterrotti secoli i fasti baronali, viceregi e inquisitoriali vi si avvicendarono con le miserie del popolo, le solennità più splendide con le scene più terrifiche, le risa dei gaudenti con le urla dei disperati.

Lì i primi conti di Modica, affermando il loro gusto per le arti e la loro protezione per gli artisti, sfoggiarono la loro intelligente opulenza, e sul soffitto del gran salone scrissero le prime pagine della storia del Rinascimento in Sicilia, e perpetuarono le loro larghe e potenti parentele con le armi dei Ventimiglia e degli Alagona, dei Peralta e dei Rossi, dei Santostefano e dei Moncada, degli Incisa e degli Sclafano, degli Spinola e dei Palizzi. Da una di quelle fi-

Mercato della Vucciria, 1974
(foto Renato Guttuso)

Mercato della Vucciria, 1974
(foto Labruzzo, Palermo)

Giardino antistante lo studio dell'artista
Velate (Varese), 1974
(foto Beccegato, Azzate)

nestre Martino I s'affacciò a veder troncare la testa ad Andrea Chiaramonte uno dei quattro Vicari del regno dopo la morte di Federico III il Semplice[27], e con sommaria confisca fece suoi i beni del giustiziato; e tenne nel palazzo la R. Curia, un tempo residente nel Castello a mare. Lì cercò invano rifugio la bella, sapiente e sventurata Bianca di Navarra,[28] che con nuova disordinata fuga, dopo quella dal Castello Maniace in Siracusa, in una fredda notte d'inverno, seminuda, poté salvare la sua regal vedovanza dai libidinosi ardori del conte Bernardo Cabrera[29], riuscito a scalarne le finestre (1412).

Lì si adunarono i generali parlamenti del 1446, lì Carlo V apriva quello del 16 settembre 1535, che poi chiudeva nel Palazzo Aiutamicristo, e ascoltava i bisogni del paese e assentiva alle riforme necessarie alla inviolabilità dei diritti del triplice consesso nella tutela dei patrii privilegi: ragion di freno ai futuri viceré che si argomentassero menomarne le franchigie.

Innanzi a esso, nei tumulti del 1516, il tuono delle bombarde e dei falconetti si confuse col ruggito del popolo contro il viceré Ugo Moncada[30], che, stato a spiar tremebondo da una vedetta, travestito da servo, s'involava da un segreto uscio, e il cieco furore delle turbe come onda procellosa irrompeva nelle sale, ne saccheggiava le suppellettili manomettendone ogni vecchia e nuova mobilia.

Nella chimerica congiura di Giovan Luca Squarcialupo[31], parte di quel medesimo popolo, incendiate le porte, invasi i cortili, le scale, gli anditi, le aule, precipitava giù dai merli i giudici della Magna Curia, e parte accoglieva sulle picche sottostanti. Di messo ai pilastri dell'alta campana si buttavan giù i trasgressori delle leggi sanitarie in tempo di pestilenza: e uno di essi durante la moria del 1576, mozze le mani, si vide a uno a uno strangolati innanzi i compagni di furto di robe infette, riversare da quelli i corpi, squartarne le membra, e alla sua volta, strangolato anche lui, veniva buttato giù come gli altri, bruciato e sparsene al vento le ceneri scellerate.

Lì, passando la Inquisizione, nuovi ospiti: tormentatori e tormentati.

Lì, testimoni più che bisecolari di raffinata ferocia, fino al 27 marzo del 1782, presso l'orologio pompeggiavano sinistramente tre gabbie di ferro con le teste di Federico Abatellis conte di Cammarata, Francesco Imperatore e Niccolò Leofante, ribelli del 1523.[32]

E lì le R. Dogane ricevevano con le mercanzie forestiere i libri che giungevano dal Continente, e una Censura dagli occhi d'Argo ne percorreva i fogli tutti e ne proponeva o la libera entrata in città o il pubblico incendio.

L'uso principale e ultimo del palazzo Chiaramonte prima del secolo ora scorso, fu pertanto quello del Tribunale della Fede; ma nessun uso è per noi tanto oscuro nei particolari quanto questo.

Il solenne incendio degli archivi (27-28 giugno 1783) privò il paese di documenti capitali per la storia del pensiero, del costume, della superstizione, della vita tutta dell'Isola.

E tal sia di essi!

Le conseguenze però sono queste: che poco, ben poco ci rimane di quella istituzione, e meno ancora sappiamo dell'ufficio delle varie parti del Palazzo, oramai molto difficili a qualificarsi.

Eppure dovremmo sapere dove gl'Inquisitori tenessero le loro adunanze, dove le loro udienze, quali fossero le carceri degli uomini, quali quelle delle donne, quali le segrete degli inquisiti, come si componesse l'arsenale di mitre e sambeniti, di strumenti di tortura e di ritratti di Inquisitori: arsenale distrutto con quel medesimo fuoco che tante vite aveva annientato e che si perse con esse. ..." […] "Nel Palazzo Chiaramonte, privi di luce, scarsi di cibo, laceri di ve-

sti ridotti a povertà di spirito, finivano i condannati a lunghe prigionie."[33]

Tra i detenuti molti erano poeti, pittori, liberi pensatori e le loro drammatiche testimonianze: scritte, disegni, invocazioni preghiere, rimangono sui muri delle celle dell'Inquisizione, come veri e propri "palinsesti dal carcere"[34]. La necessità di nuove celle, indispensabili a ospitare il numero altissimo di carcerati e di carcerate, richiese la progettazione di un nuovo edificio[35], che fu annesso allo Steri nel 1603, dove si trovavano le carceri dette della *penitenza*. Il viceré Caracciolo[36] abolì l'Inquisizione[37] il 27 marzo del 1782 e per tre giorni[38] fece bruciare, nel cortile del palazzo, tutte le

L'artista nel suo studio
Velate (Varese), 1974

A fianco
Bozzetto per la Vucciria, 1974
Grafite su carta intelata, cm 97 × 97
Cat. gen. 74/17
Roma, Galleria Nazionale d'Arte Moderna
Donazione dell'artista, 1987

Mercato della Vucciria, 1974
(foto Labruzzo, Palermo)

Lo studio dell'artista
Velate (Varese), 1974
(foto Beccegato, Azzate)

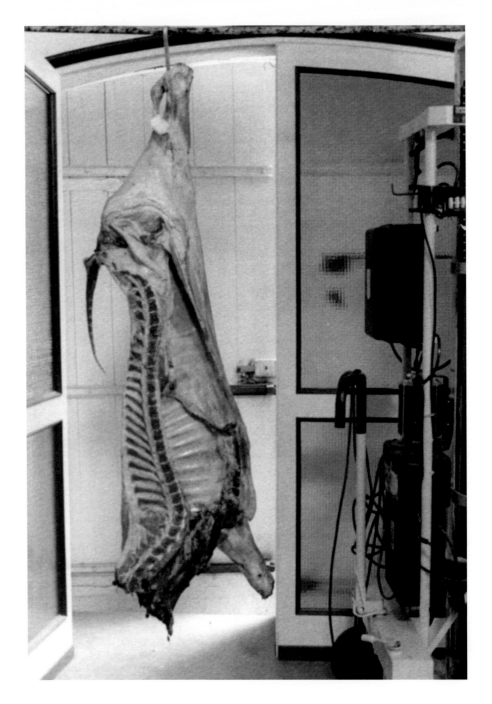

L'artista nello studio
Velate (Varese), 1974
(foto Beccegato, Azzate)

Lo studio dell'artista
Velate (Varese), 1974

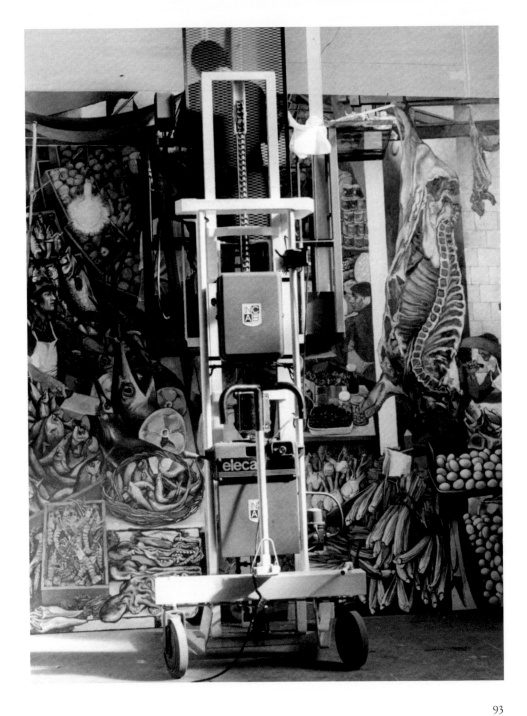

L'artista nello studio
Velate (Varese), 1974

Studio per la Vucciria, 1974
Collage e tecnica mista su carta intelata,
cm 51 × 73
Cat. gen. 74/15
Collezione privata

carte del tribunale religioso. Anche dopo l'abolizione dell'Inquisizione lo Steri divenne sede degli uffici giudiziari[39], prima borbonici e poi sabaudi, quindi sede del tribunale penale dell'Italia repubblicana, fino al 1957. Luoghi di sofferenza, che non riescono a restituire alla città il palazzo, mondato dalla memoria di tanto orrore.

La rinascita dello Steri

La rinascita dello Steri inizia con il trasferimento ad altra sede del tribunale penale e la destinazione[40], nel 1964, all'Università degli studi di Palermo, che lo acquisisce per farne sede del Rettorato, troppo stretto nell'antico palazzo di via Maqueda, condiviso con la facoltà di Giurisprudenza. Una destinazione che offre la possibilità, allo Steri, di ritrovare un'identità che, documentandone la storia, ne sancisca l'apertura alla città.

L'Università, con il suo messaggio universale di libero pensiero, interrompe la cupa tradizione oscurantista dell'Inquisizione. C'è ancora un passo da compiere per riconciliarsi non solo con gli intellettuali ma anche con il popolo di Palermo, vessato da quella struttura.

È Marcello Carapezza[41], Prorettore dal 1972 al 1985, fortemente impegnato nel recupero del Palazzo, a intuirlo non appena vede il suo amico Guttuso dipingere la grande tela, dedicata al mercato di Palermo. Porta spesso l'amico pittore a visitare i lavori di restauro[42] di Palazzo Steri, i graffiti e i disegni dei prigionieri dell'Inquisizione[43]. Chiede il suo parere sul restauro del soffitto ligneo della Sala Magna, sugli artisti che l'hanno affrescato, gli parla del progetto di riqualificazione di Piazza Marina, allora degradata, che trovi, nella presenza del Rettorato a Palazzo Chiaramonte, il fulcro di una rinascita. Si fa coraggio infine e chiede in dono *La Vucciria*.

Guttuso si commuove e accoglie la richiesta, resistendo all'insistenza di mercanti e di altre istituzioni siciliane. Forse, mentre destina la sua tela allo Steri, ripensa all'impegno profuso nel restituire le sembianze a Fra Diego La Matina, il frate eretico di "tenace concetto"[44], che aveva avuto la forza di uccidere, il 4 aprile 1657, l'inquisitore Juan Lopez de Cisneros venuto a interrogarlo, colpendo con i ferri[45] che gli serravano i polsi il capo dell'Inquisitore. La vicenda del frate, bruciato nel rogo, acceso lo stesso giorno dell'*Autodafé* del 17 marzo 1658, aveva appassionato Leonardo Sciascia, che l'aveva ricostruita, in *Morte dell'Inquisitore*[46]. Guttuso, nella drammatica tavola, intuisce e rappresenta non solo il gesto ma anche il luogo del delitto, la sala dell'interrogatorio, scoperta solo nel 2005. L'Università ricambia la generosità del pittore impegnandosi, con la lettera del Rettore[47], ad esporre l'opera nel luogo più prestigioso del palazzo, la Sala Magna, e ad istituire borse di studio in Storia dell'Arte.

Il quadro costituisce il simbolo della riconciliazione della cittadinanza con il potere, attraverso il suo momento più alto di socialità, il mercato.

Quel mercato storico che "è ancora oggi un *fatto sociale totale*[48], ove le rela-

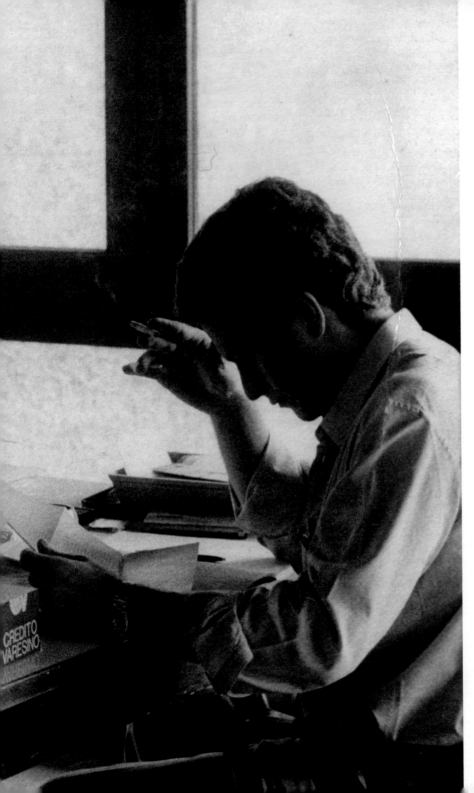

Renato Guttuso e Fabio Carapezza Guttuso
Velate (Varese), 1985

zioni reciproche fra gli uomini che si instaurano attraverso lo scambio non investono soltanto aspetti economici in senso stretto ma religiosi, ludici e aggregativi in varie forme. Un luogo di scambio non soltanto di beni, quindi, ma di interrelazione culturale, di comunicazione totale, elemento fondante di ogni organizzazione sociale: un fenomeno riferibile all'antica vita di piazza del Medioevo, per il continuo rimandare a comportamenti collettivi e rituali che hanno bisogno di esprimersi in una dimensione comunitaria, con un linguaggio forte e colorito, spesso declamato, così lucidamente descritto da Michael Bachtin[49]".[50] Il mercato quindi come luogo

di coesione degli aspetti religiosi, ludici e aggregativi che nella nostra società appaiono irrimediabilmente separati. Le grida dei bottegai, così evidenti nelle bocche aperte di macellai e pescivendoli ritratti da Guttuso, costituiscono il "sistema sonoro del mercato"[51] e rappresentano gli epigoni di quella comunicazione orale che era il modo usuale di trasmissione del sapere, sia nei proclami dei banditori municipali che nelle pubbliche accuse che gli Inquisitori lanciavano contro gli eretici.

I banditori che annunziavano le esecuzioni e le cupe confraternite salmodianti dell'Inquisizione, che precedevano i condannati al rogo, sono stati sosti-

Renato Guttuso e Marcello Carapezza nello studio dell'artista
Velate (Varese), 1974
(foto Aldo Antonelli)

A fianco
L'artista intervistato da una rete televisiva tedesca
Velate (Varese), 1974

tuiti dai più rassicuranti bottegai che magnificano, cantilenando, le loro merci. La sonora vivacità del mercato aveva affascinato Guttuso tanto da suggerirgli di ambientare nel mercato un balletto. "Ricordo con molto affetto Musco[52], un grande artista, con questi avevamo in progetto di fare un balletto sulla Vucciria. Volevamo inventare un'azione, quella di un ladruncolo che si aggira in questo grande mercato. Portare in scena la Vucciria sarebbe stato molto interessante. Purtroppo, poi, Musco morì."[53]

Il mercato costituisce anche il luogo di mediazione tra sacro e profano. Le feste pasquali, ma anche quelle dedicate a santi patronali, rivelano il forte legame tra il mercato e la religione visibile. Immagini votive compaiono tra le frutta, le verdure, le olive delle botteghe alimentari e i macellai mettono in scena con l'offerta delle carni, popolari rappresentazioni della festa.

Guttuso coglie questo aspetto e lo evidenzia sia nel quadro che in un disegno preparatorio, *Gli agnelli, 74/43*, quando dipinge gli agnelli appesi a un gancio, memoria del sacrificio dell'Agnello di Dio.

Le voci dei tanti imprigionati dall'Inquisizione, *urla senza suono*[54], cristallizzate da secoli nei graffiti, avevano necessità di essere liberate, di sciogliersi. Il grande rogo, compiuto dal viceré Caracciolo, aveva infatti incenerito, forse per sempre, le identità dei carcerati, il loro anelito di giustizia, i nomi degli accusatori[55] e dei complici. I disegni, le poesie, le terribili invocazioni, che riempiono i muri delle celle del Sant'Uffizio, evocano ani-

me sofferenti di artisti, filosofi, ma anche di semplici, ignari cittadini che devono trovare il loro riscatto in un momento di corale, solenne, spontanea partecipazione popolare. Un momento che costituisca il contrapasso dell'*autodafé*, lo spettacolo della fede, la pubblica,[56] infamante, lettura delle sentenza cui tutti erano tenuti ad assistere, a partecipare. Tale lettura, con un'accorta strategia teatrale, veniva effettuata, in chiesa o in piazza, dopo che gli inquisiti, vestiti con abiti[57] umilianti, in contrasto con il ricco corteo delle autorità, venivano trascinati in una processione per le strade della città. "Squilla la tromba," – scrive Pitrè – "e tutto il popolo, preavvisato dai tamburi, viene chiamato allo Spettacolo. Preceduto dal vessillo della Santa Inquisizione, esce dal Palazzo del Sant'Uffizio il festivo corteo…".[58]

Montaigne, nei *Saggi*, mina la certezza su cui i processi inquisitoriali, e in particolare quelli alle streghe, le *donne di fora*[59], si basavano. "Per uccidere la gente" scriveva "ci vuole una chiarezza luminosa e netta."[60] Questa chiarezza non si trova in tali processi, pieni di prove contraddittorie. La testimonianza degli uomini può essere creduta negli affari umani, ma non in casi che coinvolgano il soprannaturale. "Dopo tutto" – prosegue il filosofo – "è mettere le proprie congetture ad alto prezzo, il voler per esse, far arrostire vivo un uomo".[61] La grande tela guttusiana ha restituito il suono alle voci strozzate, racchiuse nel verso "sugnu murtu et ancora haiu a moriri; *L'afflittu*"[62] e ha offuscato, disperdendola nell'universo sonoro del mercato, quella raggelante "chiarezza luminosa e

Renato Guttuso
La Vucciria, 1974
Olio su tela, cm 300 × 300
Cat. gen. 74/14
Palermo, Università degli Studi,
Palazzo Steri
Donazione dell'artista

Donazione dell'opera.
Marcello Carapezza, Giuseppe La Grutta,
Renato Guttuso
Palermo, Università degli Studi, 1976

netta". Il quadro s'incorpora, quindi, nel palazzo e nella sua storia, rappresentando il popolo di Palermo che, attraverso il mercato, si riappropria di un luogo che gli appartiene e che gli è stato negato. Il mercato della Vucciria e lo Steri hanno, peraltro, un legame antico che risale al 1783. In quell'anno il viceré Caracciolo, oltre ad abolire l'Inquisizione, destinando le cospicue rendite inquisitoriali a istituti culturali e cattedre universitarie, prefigurando l'attuale destinazione del palazzo, poneva mano anche alla sistemazione urbanistica dell'antico mercato palermitano. La piazza principale, quella in cui sfocia l'aggrovigliato tessuto viario, composto di fondachi, botteghe artigiane, spazi e negozi, locande, taverne serrati l'un l'altro, che da allora si chiama Piazza Caracciolo[63], fu organizzata disponendo i banchi di vendita sotto un loggiato, non più esistente, tracciato sui quattro lati. Al centro fu sistemata una fontana, così da consentire di lavare la verdura e il pesce, che deve essere irrorato di continuo, perché si mantenga umido. Quella piazza, detta precedentemente, della Bocceria, o Bocceria grande, era stata, nel secolo XVI, uno dei luoghi preferiti dall'Inquisizione per la rappresentazione degli *autodafé*, gli spettacoli della fede.[64]

È un intervento importante e Leonardo Sciascia ne coglie il senso profondo. "Si consideri la mancanza della piazza, a Palermo, fino al viceregno di Caracciolo. Della piazza come luogo d'incontro, come luogo di storia. E non è un caso che la prima sia stata voluta da un viceré illuminista." Un progetto inghiottito dalla vitalità del mercato: "Nemmeno in questa, la Vucciria", prosegue Sciascia, "si produsse però storia: e rimane pittoresco porto franco del contrabbando, alla foce di una casbah."[65]

La Vucciria e Guttuso allo Steri danno inoltre continuità alla tradizione pittorica del palazzo, rappresentata dallo splendido soffitto ligneo, dipinto nel 1377 dai pittori Dareneu di Palermo, Cecco di Naro e Simone da Corleone.

Lo Steri, per la sua storia, è restìo a mostrare *La Vucciria* e la trattiene, gelosamente segregata, nelle sue segrete stanze, per più di trenta anni, impedendone la vista. Nel 2005[66] la sua esposizione, sia pure in una sala diversa da quella prevista, attira un'enorme folla di visitatori. Palermo, in fila, si riconosce nel quadro e può visitare, senza timore, anche le celle restaurate dell'Inquisizione. La storia del potere non è riuscita a incenerire la storia dello spirito.

[1] R. Guttuso, *Com'è nato questo quadro*, in M.L. Serini, *Un grande pittore rievoca un grande uomo politico. Storia di Togliatti dipinta da Renato Guttuso*, "L'Espresso" n. 46, 12 novembre 1972.

[2] E. Crispolti, *Introduzione a Guttuso*, in *Catalogo ragionato generale dei dipinti di Renato Guttuso*, vol. III, Milano 1985, p. LXXII.

[3] R. Guttuso, *Prefazione*, in *Renato Guttuso, mestiere di pittore. Scritti sull'arte e la società*, Bari 1972, p. 9.

[4] G. Ungaretti, *Prefazione*, in *Renato Guttuso Zeichnungen 1930-1970*, Berlino 1970, p. 9.

[5] G. Servello, *Con Guttuso alla Vucciria*, intervista a Renato Guttuso, "Giornale di Sicilia", 10 dicembre 1974.

[6] R. Guttuso, *Prefazione*, in *Guttuso*, Palermo 1974.

[7] Isidoro Canfarotta, scomparso nel 2005, popolare personaggio palermitano, guidava la macchina del pittore nei suoi soggiorni in Sicilia. Storico frequentatore della Vucciria, ne conosceva i più reconditi segreti e i codici di comportamento.

[8] Sembra importante richiamare l'affermazione di Enrico Crispolti sulla distanza della pittura di Guttuso dalla fotografia: "La chiara intenzionalità di 'resistenza', della pittura guttusiana, in questo momento, alla fotografia (come all'iconosfera dei 'mass media'), quale possibilità infatti di immagine di altra durata emotivo-referenziale, sia la tensione conflittuale che la pittura di Guttuso assume come dichiarazione di difficoltà e rischio del processo conoscitivo attuale della realtà, in tutti i suoi livelli". E. Crispolti, op. cit., nota 2, p. LXXXII.

[9] R. Guttuso, in *Guttuso*, Palermo 1974.

[10] L. Sciascia, in *Guttuso*, Palermo 1974.

[11] Aldo Antonelli, uomo di fiducia di Renato Guttuso, gli fu accanto dagli anni Sessanta fino alla fine.

[12] G. Servello, op.cit.

[13] G. Servello, op. cit.

[14] R. Guttuso, *Come sento Piero della Francesca*, "Nuova Antologia", ottobre 1976.

[15] F. Grasso, *La Vucciria di Guttuso nel grande bazar*, "L'Ora", 13 dicembre 1974.

[16] M. Calvesi, *L'esplosiva Vucciria di Guttuso a Palermo*, "Corriere della Sera", 12 gennaio 1975.

[17] F. Grasso, op. cit.

[18] D. Micacchi, *Esposto a Roma il grande quadro di Renato Guttuso. Splendore della Vucciria*, "L'Unità", 21 febbraio 1975.

[19] G. Parise, *Un quadro di Renato Guttuso. L'Italia com'è*, "Corriere della Sera", 9 febbraio 1975.

[20] C. Brandi, *Dall'apparenza all'immagine*, in *Guttuso*, Milano 1983, p. 13.

[21] A. Segala, *Guttuso. Io dipingo nell'ora della tigre*, intervista a Renato Guttuso, "Epoca", 4 marzo 1983.

[22] S. Whitfield, *Vedere rosso*, in *Guttuso*, Palermo-Londra 1996, p. 36.

[23] E. Canetti, *Masse e potere*, Milano 1984, p. 105.

[24] S. Whitfield, op.cit., p. 37.

[25] "Giovanni Chiaramonte, il Vecchio, fratello del conte Manfredi, ebbe in enfiteusi, con atto del 2 febbraio 1306, 'tenimentum unum terræ vacue' cioè un appezzamento di terra privo di costruzioni, compreso fra il mare, le mura della città, la strada che da Porta maris, nelle mura della Kalsa, conduceva a San Nicolò dei latini e il Piano della Marina che il Chiaramonte si impegnava a 'bonificare et meliorare'. Nel punto più alto del terrapieno, che con andamento a falce delimita a sud ovest il Piano della Marina, fu innalzata la sontuosa dimora dei Chiaramonte: un palazzo di pianta quadrata con cortile interno porticato, ed elevato di due piani, con alto massivo piano terreno e un primo piano largamente finestrato." G. Spatrisano, *Lo Steri di Palermo e l'architettura siciliana del trecento*, Palermo 1972, p. 39.
Il Fazello, in *De rebus siculis*, Dec, I, I, 8, Palermo 1560, riporta che la fabbrica vera e propria sarebbe stata iniziata da Manfredi I, nel 1320. I lavori proseguono per tutto il secolo, in relazione alle disponibilità finanziarie, ai gusti e alle ambizioni dei diversi membri della famiglia. Nel 1347 Manfredi II eleva il secondo piano che rimane incompiuto. Manfredi III, tra il 1377 e il 1380, completa il secondo piano arricchendo la Sala Magna con uno straordinario soffitto ligneo affrescato, uno degli esempi più interessanti dell'arte medievale siciliana. Grandi manomissioni sarebbero state apportate all'originaria struttura, per adattare la fabbrica a ospitare i diversi uffici che si succedettero nel palazzo. I Chiaramonte, antica famiglia arrivata in Sicilia al seguito dei Normanni, divenne molto potente nel XIV secolo acquisendo importanti titoli, tra i quali quello di conti di Modica, e giunse a controllare, vista la debolezza del potere regio, la città di Palermo. Capeggiarono la fazione latina della nobiltà che si opponeva

a quella dei catalani e si estinsero con la decapitazione dell'ultimo discendente Andrea nel 1392. Costruirono castelli come quelli di Naro, Favara e Mussomeli, abitazioni sontuose, oltre che a Palermo, anche ad Agrigento, e chiese. Da loro prende vita lo stile chiaramontano che caratterizzò l'edilizia privata trecentesca siciliana. È difficile percepire l'imponenza e il rilievo che lo Steri doveva assumere nel Trecento e che avrebbe mantenuto fino al Seicento, vista la sua posizione nell'asse viario principale che dal mare saliva verso l'interno. Lo Steri con la sua mole, un enorme cubo di quaranta metri per ogni lato, dominava il piano della marina e l'accesso al porto, fronteggiando il Castello a mare che insisteva nel fronte opposto dell'insenatura. Forse proprio la sua prossimità agli approdi marittimi e quindi alle attività mercantili, potrebbe aver suggerito, ai re aragonesi, di destinare lo Steri a *Domus regia*, preferendolo per più di un secolo al Palazzo dei Normanni, il sacro palazzo dei Re normanni, sorto come cerniera fra la città e l'entroterra.

[26] G. Pitrè, *Del Sant'Uffizio e di un carcere di esso*, Roma 1940, cap. I, pp 1-17. Il grande etnologo, nel 1906, descrisse, catalogò e pubblicò i graffiti, i disegni e le scritte lasciati, sui muri delle celle, dai prigionieri dell'Inquisizione che in questo palazzo ebbe il proprio tribunale e le sue carceri, per quasi due secoli, dal 1601 al 1782. Pitrè descrisse solo tre celle delle Carceri della Penitenza, ignorando l'esistenza delle Carceri del Segreto, dette Filippine perché costruite al tempo di Filippo III (1598-1621), che si trovavano nello Steri e non nell'edificio annesso. Un'incredibile svista dato che in un libro, pubblicato a Palermo due anni prima, da Vito la Mantia, *L'Inquisizione in Sicilia*, si parla esplicitamente di queste celle. Libro ampiamente citato dall'etnologo nelle sue pubblicazioni. Cfr. G. Pitrè e L. Sciascia, *Urla senza suono. Graffiti e disegni dei prigionieri dell'Inquisizione*, con una nota di G. Quatriglio, Palermo 1999. La riscoperta si deve allo scrittore e giornalista Giuseppe Quatriglio che in un memorabile e appassionato articolo, pubblicato dalla rivista "Sicilia", 1964, n. 42, ripreso dal "Giornale di Sicilia" del 16 ottobre 1964, ne diede pubblica notizia. Colgo l'occasione per ringraziare Giuseppe Quatriglio per i preziosi consigli.

[27] Federico III di Sicilia, IV d'Aragona, detto il semplice, 1341-1377, alla sua morte lasciò erede del regno la figlia minorenne Maria, affiancata da quattro Vicari: Artale Alagona, signore di Paternò, Guglielmo Peralta conte di Caltabellotta, Francesco Ventimiglia, conte di Geraci, Manfredi Chiaramonte, conte di Modica. Maria fu rapita nel 1379 da Guglielmo Raimondo Moncada e costretta a sposare Martino I il giovane nel 1391, figlio del re d'Aragona, che divenne così re di Sicilia. Le nozze furono annullate dal papa Bonifacio IX e benedette dall'antipapa Clemente VII. Tale matrimonio fu osteggiato dai baroni, capeggiati da Andrea Chiaramonte e Artale II di Alagona, timorosi di perdere il potere acquisito in qualità di vicari. Sbarcato in Sicilia nel 1392, Martino venne incoronato re di Sicilia con Maria, nella Cattedrale e ricevette l'omaggio di tutti i baroni intimoriti dall'esercito aragonese, comandato dal nobile spagnolo Bernardo Cabrera. I Chiaramonte e gli Alagona rimasero soli a fronteggiare il poderoso esercito aragonese e furono sconfitti. Andrea Chiaramonte, succeduto a Manfredi fu giustiziato a Palermo nella piazza antistante lo Steri, il 1° giugno 1392.

[28] Bianca I di Navarra, 1387-1441, figlia del re di Navarra, in seguito al matrimonio con Martino I il giovane, cui nel 1401 era morta la moglie Maria, divenne regina di Sicilia. Fu nominata Vicaria del regno siciliano, nel 1408, durante il periodo di assenza del re, impegnato a riconquistare la Sardegna al trono aragonese. Dopo la morte di Martino (1409) Costanza, riconfermata Vicaria del regno, dalla corona d'Aragona, dovette fronteggiare le mire di Bernardo Cabrera, conte di Modica, che a capo di un una fazione avversa mirava a costringerla alle nozze, per rivendicare il trono siciliano. Il Cabrera, dopo diverse battaglie che insanguinarono la Sicilia, presa Palermo, strinse d'assedio Palazzo Steri dove Costanza si era rifugiata. La vicinanza del palazzo col mare permise alla regina di fuggire, appena in tempo per sottrarsi alle mire del Cabrera e imbarcarsi per rientrare in Navarra, dove era divenuta erede al trono.

[29] Bernardo Cabrera, ammiraglio e nobile spagnolo comandò l'esercito aragonese e ricevette da re Martino i beni feudali dei Chiaramonte, insieme al ruolo di Ammiraglio e di Maestro Giustiziere, già appartenuti a quella famiglia.

[30] La morte di Ferdinando il cattolico avvenuta il 28 gennaio 1516 e la contrastata successione al

trono di Carlo V, allora quindicenne, si accompagnarono in Sicilia e negli altri possedimenti spagnoli a una lunga ondata di malessere destinata a sfociare in rivolte e congiure negli anni compresi tra il 1516 e il 1523, vicende che coinvolgeranno lo Steri. Nel 1516 la rivolta contro Ugo de Moncada, viceré dal 1509 al 1516, e l'Inquisitore Melchiorre Cervera li costrinse a fuggire dalla Sicilia, l'8 marzo 1516.

[31] Nel 1517 ebbe luogo la congiura di Giovanni Luca Squarcialupo, nobile pisano, che voleva instaurare in Sicilia un regime repubblicano simile a quello pisano. Fu ucciso l'8 settembre 1517, per mano dei nobili Ventimiglia e Imperatore che lo attirarono in un tranello nella chiesa dell'Annunziata, per far cessare una rivolta che aveva assunto carattere antinobiliare.

[32] Nel 1523 Francesco Imperatore, Federico Abatellis, conte di Cammarata e il tesoriere Girolamo Leofante diedero vita a una nuova congiura antispagnola per la creazione di un regno siciliano indipendente, la cui corona sarebbe stata offerta a Marcantonio Colonna, allora al servizio della corona francese. La congiura venne scoperta e i tre furono decapitati a Milazzo, l'11 luglio 1523 e le loro teste appese allo Steri.

[33] G. Pitrè, op. cit.

[34] Ibidem.

[35] Il progetto fu realizzato dall'architetto spagnolo Diego Sanchez nel 1603. L'edificio, primo esempio di edilizia carceraria a Palermo, prevedeva due piani: al piano terra furono ricavate otto celle, al primo piano, oltre a sei celle, anche l'appartamento dell'Alcaide e l'archivio.

[36] Domenico Caracciolo, marchese di Villa Maina, nato a Malpartida de la Serena il 2 ottobre 1715, morto a Napoli nel 1789, fu viceré di Sicilia dal 1781 al 1786.

[37] L'Inquisizione in Sicilia, istituita nel 1487 e abolita nel 1782, ebbe un potere assai maggiore di quello dell'Inquisizione romana a Napoli che pure, come la Trinacria, era un dominio spagnolo. L'Inquisizione siciliana era, infatti, gestita da inquisitori direttamente inviati da Madrid, delegati dall'Inquisitore generale spagnolo. Tale alto magistrato ecclesiastico pur nominato dal papa era scelto dal re di Spagna, cumulando l'autorità papale in materia di fede con quella regia. Agli inquisitori siciliani quindi tutte le autorità istituzionali isolane erano tenute a prestare obbedienza. "L'Inquisizione spagnola in Sicilia rimase un'istituzione sempre straniera, e non ebbe una influenza religiosa e politica ideologicamente formativa come quella esercitata dalla Compagnia di Gesù. L'Inquisizione contribuì solo a reprimere e distruggere. Represse e distrusse la presenza ebraica. Represse e cancellò la presenza protestante. Represse e umiliò la presenza mussulmana. Represse e svuotò la libertà di pensiero. Alla ricchezza del pluralismo sostituì e impose l'uniformità e il conformismo." F. Renda, *L'Inquisizione in Sicilia*, Palermo 1977, pp. 23-24.

[38] Il rogo avvenne l'anno successivo "Abolitosi già il tribunale dell'Inquisizione di Sicilia fu dal nostro Re Ferdinando III ordinato che si bruciasse tutto l'archivio segreto, cioè tutti i processi e denunzie e altre scritture a detto segreto appartenenti. Lo che si eseguì, nell'anno dappresso, cioè a 27 giugno 1783, venerdì mattina nel giardino dell'Alcaide barone D. Francesco Zappino, ove in detta mattina, portatosi il medesimo viceré marchese D. Domenico Caracciolo, fece dare principio alla sua presenza tale bruciamento, il quale durò fino alla notte. Fu ripigliato tale incendio l'indomani a 28 giugno, sabato mattina, vigilia dei santi Pietro e Paolo, e durò sino a mezzogiorno, fintantoché col fuoco si consumò ogni minima memoria del Santo Officio, sino le mitre, abiti gialli, ritratti d'inquisiti e qualunque altra minuzia appartenente all'Inquisizione". Alessi, consultore e qualificatore del Santo Ufficio, *Notizie*, in Biblioteca Comunale di Palermo, manoscritti, Qq H 43 n. 483, cit. in F. Renda, op. cit., p. 193.

[39] Dopo l'abolizione dell'Inquisizione (1601-1782), il palazzo continuerà a ospitare la Regia Dogana fino al 1799, divenendo poi rifugio dei poveri, impresa del lotto, e sede degli uffici giudiziari. Con la fuga dei Borboni in Sicilia, 26 dicembre 1798, il Palazzo dei Normanni già sede viceregina, non ha più spazi per i tribunali che vengono trasferiti nello Steri.

[40] Alla fine del 1958 è previsto un intervento di sistemazione e restauro di Palazzo Chiaramonte per utilizzarlo come sede di esposizioni e congressi. Nel 1964 il piano nobile del palazzo è destinato a sede di rappresentanza del Rettorato palermitano.

[41] Marcello Carapezza, 1924-1987, vulcanologo, umanista, intrattenne con scrittori, pittori, poeti,

Renato Guttuso
Morte dell'Inquisitore, 1964
China su carta, cm 29,8 × 24,7
Napoli, Collezione privata

musicisti profondi e affettuosi sodalizi. Con Guttuso il rapporto fu particolarmente intenso e il pittore volle lasciarne traccia, ritraendolo come personaggio centrale in alcuni dei suoi quadri più famosi come *I Funerali di Togliatti* del 1972 e *Comizio di quartiere* del 1975. L'Università, memore del suo impegno, volle intitolargli, nel 1987 data della sua prematura scomparsa, la sala del Consiglio a Palazzo Steri.

[42] Il restauro del palazzo suscitò roventi polemiche, sostenute da Giuseppe Quatriglio e da Leonardo Sciascia, per la decisione, da parte della Soprintendenza, di smantellare nel 1971 quanto restava, tre ambienti, delle celle dell'Inquisizione, quelle Filippine, per dare spazialità alla grande Sala delle Armi. Al tempo dell'Inquisizione, infatti, la volumetria della sala era stata ridotta, per creare a est la "sala della Tortura", a ovest su tre livelli, le carceri Filippine, dove i rei di eresia avevano lasciato i famosi graffiti, (vedi nota 25). Dal 1972 l'Università ebbe un ruolo di primo piano nel restauro del palazzo tramite un'apposita commissione, istituita dal Rettore, che sotto il controllo della soprintendenza, subentrò a quest'ultima nella conduzione dei lavori. Il lungo, complesso restauro è analizzato e documentato nel bel volume: *Lo Steri di Palermo nel secondo Novecento, dagli studi di Giuseppe Spatrisano al progetto di Roberto Calandra con la consulenza di Carlo Scarpa*, a cura di A.I. Lima, Palermo 2006.

[43] Alcune delle pitture originariamente esistenti sui muri delle Celle Filippine sono ancora visibili sulle pareti della sala delle Armi, altre sono state strappate dalle pareti addossate alle arcate e fissate su supporti, in attesa di essere ricollocate. Nelle celle della Penitenza, situate nell'edificio seicentesco, annesso allo Steri, sono ancora visibili i "palinsesti dal carcere", descritti da Pitrè, e altri ambienti, le otto celle al piano terra, restaurate nel 2007 e aperte al pubblico nell'ottobre 2008. Cfr. N. Catalano, *Nuovi graffiti del carcere dell'Inquisizione*, "Kalòs, arte in Sicilia", n. 4, ottobre-dicembre 2007, pp. 10-13.

[44] "Fu egli bestemmiatore ereticale ingiurioso, dispreggiatore delle sacre immagini e dei sacramenti […] Le dispute co' primi teologi della città; i ragionamenti di religiosi non meno pii che fecondi e dotti; le ammonizioni dei superiori; i discorsi e le persuasioni de' ministri del Santo Ufficio fatti

predicatori, ch'avrebbero convinta la temerarietà medesima, e qualsivoglia ruvido intelletto con loro dottrine scheggiato, non bastarono di questo uomo veramente di sasso a muovere il tenace concetto. Sentenziato a dura morte e alle fiamme, né si turbò né variò sembiante o detti […]" G. Matranga, *Relazione dell'atto pubblico di fede celebrato in Palermo a' 17 marzo dell'anno 1658*, Palermo 1658, 38-39.

[45] Nuovi documenti, rintracciati nel 1994 dallo storico Vittorio Sciuti Russi nell'Archivio Storico Nazionale di Madrid, smentirebbero la ricostruzione di Sciascia, evidenziando che Fra Diego La Matina fu portato all'interrogatorio innanzi all'Inquisitore Cisneros con le catene ai piedi ma con le manette infrante dalla sua forza fisica. Nel corso dell'interrogatorio il frate ebbe "una repentina reazione" riuscendo ad afferrare "un attrezzo di ferro", fra quelli deposti sul tavolo del segretario che servivano a torturare gli inquisiti. Con tale attrezzo colpì tre volte il Cisneros, due al capo e una al sopracciglio, e cercando di strozzarlo precipitò con lui, ormai agonizzante, per le scale, prima che riuscissero a liberarlo. Cfr. V. Sciuti Russi, *Gli uomini di tenace concetto. Leonardo Sciascia e l'Inquisizione spagnola in Sicilia*, Milano 1996, pp. 59-61.

[46] L. Sciascia, *Morte dell'Inquisitore*, Roma-Bari 1964.

[47] Lettera del Rettore Giuseppe la Grutta a Renato Guttuso del 27 dicembre 1974: "Illustre maestro, come Le è stato annunciato dal Prorettore Marcello Carapezza, questa Università di Palermo, che ha l'onore di averLa nell'albo d'oro dei suoi laureati *ad honorem*, ambirebbe all'acquisto del suo ultimo quadro ispirato alla 'Vucciria'. Perché lei abbia maggiore tranquillità sulla possibilità che tutta la cittadinanza di Palermo possa ammirare il dipinto, Le preannunzio che *La Vucciria* sarà destinata alla 'sala dei Baroni' del Palazzo Steri che in breve tempo sarà riaperto al pubblico. Ai grandi motivi popolareschi illustrati sei secoli or sono nel soffitto ligneo da Simone da Corleone, Cecco di Naro e Dareneu da Palermo, si aggiungerebbe così la Sua splendida opera quasi a significare che lo Steri torna a essere una parte viva nella vita e nella cultura di Palermo.
Mi pare superfluo assicurarle che il quadro resterà a Sua disposizione ogni volta che Lei ritenesse

di doverlo esporre e che il personale dell'Università assicurerebbe la cura migliore del dipinto. Nella speranza che questa richiesta possa essere accolta, le esprimo a nome di tutta l'Università i sensi della mia rinnovata ammirazione".

[48] M. Mauss, *Saggio sul dono. Forma e motivo dello scambio nelle società arcaiche*, in Id., *Teoria generale della magia e altri saggi*, Torino 1980, pp. 153-292.

[49] M. Bachtin, *L'opera di Rabelais e la cultura popolare. Riso, carnevale e festa nella tradizione medievale e rinascimentale*, Torino 1979.

[50] O. Sorgi, *I mercati storici siciliani tra persistenza e cambiamento*, in *Mercati storici siciliani*, Palermo 2007, p. 61.

[51] Ibidem.

[52] Angelo Musco, 1925-1969, musicista, compositore, organizzatore teatrale. Compose le musiche per il balletto *Sei danze per Demetra*, andato in scena il 5 marzo 1958, al Teatro Massimo di Palermo, con le scene e i costumi di Renato Guttuso e la coreografia di Aurel Milloss, cfr. *Guttuso e il teatro musicale*, a cura di F. Carapezza Guttuso, Milano 1997, p. 23

[53] L. Cacicia Biondo, *Intervista a Guttuso*, in F. Carapezza Guttuso, op. cit.

[54] G. Pitrè e L. Sciascia, op. cit.

[55] "La distruzione di tali carte incontrar videsi il comune applauso, stante esser memorie che, Dio liberi, si fossero commerciate, era lo stesso che infettare e imbrunire di nere note molte e molte famiglie di Palermo e del Regno tutto ch'oggi sono del rango nobile e delle oneste e civili." Francesco Maria Emanuele e Gaetani, marchese di Villabianca, *Diari della città di Palermo*, anno 1783, a cura di Di Marzo, Biblioteca Comunale di Palermo. I processi dell'Inquisizione, infatti, raramente erano aperti di ufficio, generalmente si agiva sulla base delle denunce che provenivano dai fedeli sia in osservanza degli editti di fede, che, molto più spesso, per vendette o tornaconti personali. Per aprire una formale istruttoria, gli inquisitori avevano necessità di acquisire, agli atti, le dichiarazioni conformi di almeno cinque testimoni. Nelle carte dell'archivio segreto erano contenuti i nomi di tali delatori e la loro rivelazione avrebbe causato vendette e ritorsioni. Segrete erano anche le identità dei quattromila collaboratori, ufficiali, ministri e familiari, tra i quali nobili di alto lignaggio.

[56] La sentenza che concludeva il processo inquisitorio poteva essere pronunciata in due forme, quella pubblica tenuta in chiesa e più spesso in piazza, alla presenza di inquisitori, clero, pubbliche autorità e popolo, alla fine di una oltraggiosa processione. Quella segreta consisteva nella lettura della sentenza nella cosiddetta sala del Segreto, o in altra sala, dentro il palazzo dell'Inquisizione, alla sola presenza degli inquisitori e degli autorizzati. La differenza era sostanziale visto che il giudicato in segreto poteva, scontata la pena, ritornare alla propria comunità senza che la gente sapesse e per questo godere nuovamente della considerazione sociale che una condanna inquisitoriale avrebbe fatto venire meno.

[57] "Ciascheduno di loro, andò con veste sciolta, e senza cinto, con mitra vile nella quale le qualità e gravità del delitto, in dipintura, additatasi […] Ultimo di tutti, e bersaglio degli occhi d'un regno il Mostro dell'età nostra, (fra Diego La Matina) con abito vile e mitra tinta di nera pece, e con somiglianze di fiamme orribilmente affocata..." G. Matranga, *Relazione dell'atto pubblico di fede celebrato in Palermo a' 17 marzo dell'anno 1658*, Palermo 1658, pp. 38-39.

[58] G. Pitrè, op. cit., nota 26, cap. II, p. 45.

[59] "In Sicilia […] nella seconda metà del secolo XV […] in un manuale per confessori, redatto da Giovanni Vassallo […] fu raccomandato di domandare al penitente: 'Si cridi li donni di fori e ki vayanu la nocti […]' (se crede nelle *donne di fora* e che vanno la notte). Era la riproposizione letterale del *Canon Episcopi*. *Donni di Fora* era il modo siciliano di chiamare le streghe nella lingua locale. Credere nelle 'donne di fora e ki vajanu la nocti' costituiva eresia e incorreva nella ira del Signore", F. Renda, op. cit., p. 411.

[60] Montaigne, *Saggi*, a cura di F. Garavini, Milano 1996, III, XI, pp. 1376-1378.

[61] Ibidem, p. 1380.

[62] G. Pitrè, op. cit., nota 26, cap. II, p. 50. La scritta è l'ultimo verso di un'ottava, tracciata da un anonimo poeta, rinchiuso nella prima cella del carcere della Penitenza.

[63] È difficile percepire le reali dimensioni del mercato della Vucciria e della sua piazza principale, piazza Caracciolo, fortemente ridimensionati a seguito del taglio della via Roma, realizzato nell'Ottocento.

[64] "Per tutto il secolo XVI la scelta della piazza come luogo privilegiato dello spettacolo di fede fece parte della strategia psicologica inquisitoriale. Dopo piazza Marina a essere maggiormente preferite furono la piazza della Loggia, ove si tennero gli spettacoli del 1530, 1537, 1549, 1551 e 1553, e la piazza Bocceria, ove si celebrarono gli spettacoli del 1588, 1560, 1561, 1569 e 1576." F. Renda, op. cit., p. 254.

[65] L. Sciascia, in *Palermo Felicissima*, testi di L. Sciascia e R. La Duca, Palermo 1973, nota 4, p. 13.

[66] L'esposizione de *La Vucciria* e il nuovo impulso ai lavori per il restauro delle celle dell'Inquisizione, finalizzati alla musealizzazione dello Steri, si devono all'impegno del Rettore Giuseppe Silvestri.